# Das große Berlin

Argon

# Das große Berlin

Max Missmann
Photographien 1899–1935

Herausgegeben von
Wolfgang Gottschalk

Argon

Satz: Mercator Druckerei GmbH
Druck: Passavia Druckerei GmbH, Passau
Bindung: Großbuchbinderei Klemme, Bielefeld
Lithographie: Brend'amour, Simhart GmbH & Co., München
Gestaltung: Jürgen Freter

ISBN 3-87024-176-4

# Max Missmann und das große Berlin

Wie kaum ein anderer Photograph zu Beginn dieses Jahrhunderts hat uns Max Missmann ein detailreiches Bild von jenem Berlin überliefert, das sich 1920 zur Stadtgemeinde Groß-Berlin zusammenschloß. Er hat also nicht nur das vielgestaltige Antlitz des historischen Zentrums im Bezirk Mitte photographisch festgehalten, sondern auch das vieler der bis dahin noch selbständigen acht Städte, 59 Gemeinden und 27 Gutsbezirke. Vorwiegend im ersten Jahrhundertdrittel entstanden, schließen die Lichtbilder Missmanns unmittelbar an die Arbeiten solcher Bildchronisten wie F. Albert Schwartz oder Georg Bartels an, die vor allem das sich rasant wandelnde Berliner Stadtbild im ausgehenden 19. Jahrhundert dokumentiert haben. Noch vor wenigen Jahren war Max Missmann als einer der bedeutendsten Berliner Architekturphotographen der ersten Hälfte unseres Jahrhunderts als Person kaum bekannt – obwohl man sowohl in alten wie in neuen Berlin-Publikationen durchweg Photographien mit dem typischen MM-Monogramm findet, das Herausgeber teilweise wegretuschieren ließen. Vor zehn Jahren waren nicht einmal Geburts- und Todesdatum Missmanns zu ermitteln, geschweige denn Lebens- und Arbeitsumstände. Während F. Albert Schwartz, Hermann Rückwardt, Waldemar Titzenthaler, Friedrich Seidenstücker oder Fritz Eschen durch größere oder kleinere Veröffentlichungen oder sogar Personalausstellungen einer breiteren Öffentlichkeit nahegebracht wurden, blieb Max Missmann so gut wie unbekannt. Erst durch den Kontakt des Missmann-Enkels Dr. Michael Rutschky mit dem Kurator der Photographischen Sammlung der Berlinischen Galerie, Janos Frecot, und durch eine – zufälligerweise gleichzeitig erschienene – größere Buchveröffentlichung von mir änderte sich das. Vor allem durch die im Juni/Juli 1989 von der Berlinischen Galerie im Martin-Gropius-Bau veranstaltete erste Missmann-Ausstellung, zu der auch ein Katalogbuch erschien, rückte das Schaffen dieses herausragenden Berliner Photographen stärker ins öffentliche Blickfeld.

Was bis dahin lediglich Vermutung war, konnte in direkten Gesprächen oder durch Briefwechsel mit der Missmann-Tochter Ruth Rutschky und deren Sohn bestätigt, ergänzt oder korrigiert werden. Verschiedene Details zur Biographie Max Missmanns ließen sich aus erhaltengebliebenen persönlichen Dokumenten und dem privaten photographischen Nachlaß rekonstruieren – manche Punkte bleiben allerdings, als Folge von Krieg und Zerstörung, nicht mehr eindeutig klärbar.

Max Missmann – Porträtaufnahme von 1914

Theodor Max Missmann kam am 27. Juni 1874 in Berlin-Kreuzberg als Sohn des aus Papenbruch in der Ostprignitz stammenden Uhrmachers Johann Christian Missmann (geboren 1830) und dessen Ehefrau Christiane Wilhelmine Missmann, gebürtige Döring (geboren 1838 in Übigau/Sachsen-Anhalt), zur Welt. Die Familie wohnte zunächst in der Skalitzer Straße 102, ab Mitte der 80er Jahre in der benachbarten Mariannenstraße 23, in den 90er Jahren wieder in der

Skalitzer Straße 102 und Anfang unseres Jahrhunderts schließlich in der Skalitzer Straße 45. Bis zu dieser Zeit erscheint der Uhrmacher Christian Missmann noch im Branchenteil des Berliner Adreßbuches. Spätestens 1904 aber hatte der nun fast 75jährige seine Werkstatt aufgegeben und lebte wohl nur noch ein oder zwei Jahre im Haus Kottbusser Ufer 57. Die verwitwete Mutter wohnte – zumindest zeitweise – bei ihren unverheirateten, als Heimarbeiterinnen tätigen Töchtern Emma – Modistin, Anna – Putzmacherin und Hedwig – Näherin (unter anderem in der Kreuzberger Boppstraße 10). Sie muß etwa 1910 verstorben sein, da die Enkelin Ruth Rutschky keinerlei Erinnerungen an ihre Großeltern hat. Die drei Schwestern Max Missmanns zogen gemeinsam noch mehrfach um, blieben aber stets im Bezirk Kreuzberg.

Der Sohn Max war in den 90er Jahren zunächst als Dekorateur beschäftigt, bevor er offensichtlich seine Liebe zur Photographie ent-

Sonntagsmusik mit Militärkapelle im Schöneberger Stadtpark, 1912

deckte. Man darf wohl vermuten, daß dieses Interesse nicht ganz unbeeinflußt war von der feinmechanischen Arbeit des Vaters. Vor der Jahrhundertwende wurde Max Missmann Lehrling im 1895 gegründeten Photographischen Atelier von Zander & Labisch, Mohrenstraße 19, einem der damals bekanntesten Unternehmen der Branche. Offensichtlich aus dieser Lehrzeit stammt ein Panorama des Potsdamer Platzes mit der Datierung 1899 – die bislang früheste nachweisbare photographische Arbeit Missmanns, die neben den späteren Aufnahmen schon voll bestehen kann.

Verzeichnete das Adreßbuch für Berlin im Geburtsjahr Missmanns ca. 90 Lichtbildwerkstätten, so waren es um 1900 mehr als dreimal so viel, nämlich 281. Darunter waren Firmen wie Ottomar Anschütz, Becker & Maaß, E. Bieber, W. Fechner, Jamrath & Sohn, Loescher & Petsch, Neue Photographische Gesellschaft Steglitz, H. Rückwardt, Hugo Rudolphy, E. Salingré, J. C. Schaarwächter, F. Albert Schwartz, C. Seegert, Waldemar Titzenthaler und Sophus Williams.

Nachdem Max Missmann wahrscheinlich 1900 seine Meisterprüfung bei der drei Jahre zuvor als obligatorische Berufsvertretung gegründeten Handwerkskammer für Berlin und den Regierungsbezirk Potsdam abgelegt hatte, konnte er ein eigenes Atelier eröffnen – dies geschah dann im Hause Skalitzer Straße 45, nahe der Kreuzberger Hochbahnstation Oranienstraße (heute Görlitzer Bahnhof). In der Wohnung seiner Eltern lebend, nutzte er offensichtlich zunächst für seine Arbeit die früheren Werkstatträume des Vaters. In der Zwei-Millionen-Stadt Berlin hatte sich der 29jährige nun der Konkurrenz von – laut Berliner Adreßbuch – 233 Photographischen Ateliers zu stellen, zu denen noch zahlreiche Photographische Reproduktionsanstalten, »Institute für lebende Photographie« sowie »für Photographien und Stereokopien« kamen.

Mit der Gründung seiner Werkstatt begann Max Missmann, sämtliche zur Vervielfältigung und Veröffentlichung bestimmten Negative mit den Buchstaben »MM« – von ihm selbst »Bilderzeichen« genannt –, der entsprechenden Jahreszahl und einer fortlaufenden Negativnummer zu kennzeichnen – ähnlich wie sonst in Berlin nur noch Waldemar Titzenthaler (1869-1937), der 1897 sein erstes Atelier eröffnete. Beide waren damit ganz eindeutig auf die Wahrung ihrer Urheberrechte – ausgehend von dem seit 1876 gültigen und 1901 neuformulierten Urheberrechtsgesetz des Deutschen Reiches – bedacht. Auf den Rückseiten vieler Originalabzüge Max Missmanns findet sich außerdem – als Stempel oder als Eindruck bei auf Karton aufgeklebten Lichtbildern – der nachdrücklich mahnende Hinweis, daß Veröffentlichungen nur mit ausdrücklicher Genehmigung des Photographen erfolgen dürfen. In der umfangreichen Sammlung des Märkischen Museums gibt es kein vergleichbares Beispiel solch konsequenter Berufung auf das künstlerische Urheberrecht, das bemerkenswerterweise von Anfang an nicht nur Werke der klassischen Kunstgattungen, sondern auch der Photographie durch Gesetz schützte. Inwieweit Missmann von diesem Schutz profitierte, ist nicht bekannt, da in zahlreichen, zu seinen Lebzeiten erschienenen Büchern seine Aufnahmen ohne Herkunftsnachweis und zum Teil sogar ohne sein Bildzeichen veröffentlicht wurden.

Neben kommerziellen Aspekten dürften Missmann sicherlich auch Fragen einer zweckmäßigen und rationellen Archivierung zur Signierung der Negative bewogen haben – den heutigen Besitzern seiner Aufnahmen nimmt sie das sonst manchmal sehr schwierige Problem der exakten zeitlichen Bestimmung. Das ist um so wichtiger, als unter den innerhalb von vier Jahrzehnten derart gekennzeichneten rund 24 000 Aufnahmen zahlreiche Motive sind, die Max Missmann im Laufe der Zeit immer wieder neu photographiert hat.

Im Jahre 1904 eröffnete er ein »Photographisches Institut für Architektur, Industrie und Illustration« ebenfalls in Kreuzberg, nunmehr am Kottbusser Ufer 57. Die Eintragung im Branchenteil des Berliner Adreßbuches von 1906 weist darauf hin, daß Missmann jetzt auch Landschaftsaufnahmen anfertigt und erstmals telefonisch erreichbar ist. Am 17. Juni jenes Jahres heiratete er die Näherin Marie Starke (geboren 12. Januar 1879 in Berlin, gestorben 20. September 1951 in Melsungen); dieser Ehe entstammten die Töchter Eva (1906-1908), Ruth (geboren 1908) und Monika (1913-1942).

1908 firmiert Max Missmann als »Photograph für Architektur, Industrie, Illustration, Landschaft und Technik«. Warum er wenig später seinen inzwischen schon gut eingeführten Atelierbetrieb – Veröffentlichungen und offensichtliche Auftragsserien belegen das – nach Charlottenburg – in die Berliner Straße 58 – verlegte, ist nicht bekannt. Offenbar scheint der gebürtige Kreuzberger jedoch bald seinen »Kiez« und seine Stammkundschaft vermißt zu haben – denn im Jahre 1910 zog er in das Eckhaus Gneisenaustraße 22/Zossener Straße; dort lebte und arbeitete er 35 Jahre lang, bis zu seinem Tode. Zunächst befand sich sein Atelier in der 4. Etage des Gebäudes; nach 1926 erfolgte eine Aufstockung und die Einrichtung eines neuen verglasten Ateliers im 5. Stockwerk. Die ursprüngliche Werkstatt wurde zu Kontor- und Wohnräumen für die Familie umgebaut. In dieser Zeit änderte Max Missmann noch mehrfach seinen Anzeigentext im Berliner Adreßbuch, sich der Werbefunktion wohl bewußt. So annoncierte er 1923 als Photograph für die Arbeitsgebiete Architektur und Technik, ein Jahrzehnt darauf jedoch für Architektur, Industrie, Landschaft, Kunstgewerbe, Gemälde und 1942 schließlich für Architektur, Industrie, Landschaft, Technik, Vergrößerung und Gemälde. Es fällt auf, daß Missmann von den 30er Jahren an – nach einem allgemeinen Rückgang des Interesses für klassische Architekturphotographie – zunehmend verschiedene Dienstleistungen wie Reproduktionen von Gemälden und Illustrationen – beispielsweise für die Kunsthandlung Karl Haberstock – sowie Werbeaufträge für die Industrie übernommen hat. Sein Hauptinteresse konzentrierte sich aber weiterhin auf die Architekturphotographie, was die vorhandenen Originalabzüge eindrucksvoll belegen. Max Missmann hat niemals reine Porträtaufnahmen angefertigt – lediglich bei einigen Auftragsarbeiten für Organisationen, Verwaltungen oder Firmen sowie bei den zahlreichen privaten Photographien aus der Wohnung, von den Sommeraufenthalten in Senzig bei Königs Wusterhausen oder von Ausflügen in die Mark Brandenburg steht die Darstellung von Menschen im Vordergrund.

Während sich aus dem Privatleben Missmanns eine größere Zahl an Bilddokumenten im Familienbesitz erhalten hat, gibt es offensichtlich keinerlei Zeugnisse für seine Beschäftigung mit der Farbphotographie ab Anfang der 30er Jahre. Laut Berliner Adreßbuch existierten 1933 in der Stadt lediglich zwei Ateliers, die sich mit dem damals noch in der Entwicklung befindlichen neuartigen Aufnahmeverfahren beschäftigten: das von Becker & Maaß und das von Max Missmann. Dieser durch weitere Dokumente bedauerlicherweise nicht belegbare Fakt spricht für die Aufgeschlossenheit Missmanns gegenüber Neuerungen auf dem Gebiet der Photographie, wohl auch für seine Risikobereitschaft im Geschäftsbetrieb. Denn erst, als die großen Unternehmen Eastman-Kodak und Agfa 1935 bzw. 1936 mit praktikablen Farb-Dia-Verfahren auf den Markt kamen, waren die

Voraussetzungen für breitere Entfaltungs- und Wirkungsmöglichkeiten der Farbphotographie gegeben. Im Zuge dieser Entwicklung spezialisierten sich dann 1939 in Berlin bereits vier und ein Jahr darauf sechs Ateliers auf die Anfertigung farbiger Lichtbilder.

Nach Aussagen der Tochter muß Max Missmann ein außerordentlich fleißiger und gewissenhafter Photograph gewesen sein, der mit großer Leidenschaft und oft bis tief in die Nacht hinein arbeitete – beim Umfang des photographischen Gesamtwerks sehr gut vorstellbar. Beim Transport der schweren Aufnahmetechnik war ihm sein »Lohndiener« Max behilflich, wobei zumeist Taxis angemietet wurden. Seine Objektive betrachtete Missmann als seinen kostbarsten Besitz, so daß er sie nachts in einem Koffer unter dem Bett immer in unmittelbarer Nähe bei sich wissen wollte. Während er seine Negativretuschen stets selbst ausführte, übernahm seine Tochter Ruth in den 30er Jahren – sie hatte nach dem Besuch der Lette-Schule bei Ma-

Wachablösung vor der Neuen Wache Unter den Linden, 1914

rie Hermann dieses Handwerk erlernt und später u. a. für Waldemar Titzenthaler gearbeitet – die Positivretuschen. Von der Arbeitsweise und den Arbeitsbedingungen Max Missmanns vermittelt übrigens eine Reihe von Aufnahmen aus Atelier und Dunkelkammer in der Gneisenaustraße eine genaue Vorstellung – die Serie wurde von den Nachkommen 1989 der Berlinischen Galerie überlassen.

Eine Blütezeit erlebte das Missmann-Atelier in den 20er Jahren – nach 1933 und vor allem mit Beginn des Zweiten Weltkrieges mehrten sich die wirtschaftlichen Schwierigkeiten. Zu den Auftraggebern gehörten auch durch das NS-Regime zur Emigration gezwungene jüdische Bürger wie etwa der Bankier Jakob Goldschmidt oder dessen Bruder, den Mitinhaber der Adressier-Maschinenbau-GmbH Berlin, als »Adrema« weltweit bekannt geworden.

Der schwerste Schicksalsschlag war für Max Missmann die teilweise Zerstörung seines Ateliers durch einen britischen Bombenangriff im Januar 1944, dem am 30. Januar ein Räumungsbefehl für das Haus

Gneisenaustraße 22 folgte. Für seinen Entschädigungsantrag stellte er am 24. März eine 23seitige Inventarliste zusammen; dabei kam er auf eine Gesamtsumme von 20 340,- RM für »Verluste in Atelier, Dunkelräumen, Kontor und Hauseingang«, darunter allein Objektive im Wert von 4672,- RM. Die durch Witterungseinflüsse herbeigeführten Schäden bezifferte Missmann zusätzlich auf 4500,- RM und schilderte die Situation folgendermaßen: »Durch Regen und Schnee ist da in beiden Ateliers bei 80 qm Glas keine Scheibe heilgeblieben, noch sehr viel verdorben worden. Das Wasser läuft von der Werkstatt, die ja z. Z. über meiner Wohnung liegt, in diese hinein und von dort sogar noch in die dritte Etage.«

Die Begründung zum Entschädigungsantrag – eine der wenigen erhaltenen persönlichen Äußerungen – läßt ahnen, wie hart Max Missmann die Vernichtung seiner Existenzgrundlage getroffen hat: »Der ganze Aufbau meiner Werkstatt war natürlich zu einem Rück-

Fähnchen- und Windmühlenverkäufer an der Straße In den Zelten im Tiergarten, 1906

halt für mich und meine Frau bestimmt und hätte, da ein Verkauf in diesen Jahren beabsichtigt war, den geschätzten Preis erzielt.

Es ist hier zu unterscheiden zwischen der technischen und Porträt-Photographie, um welch letztere es sich bei mir nicht handelt. Die Kundenreihe, nur langjährig, welche sich zusammensetzt aus Großindustrie, Behörden, Staatsmännern usw., gibt stets nur größere Objekte in Auftrag.

So ist nun die Arbeit von vier Jahrzehnten vergebens; ein verhältnismäßig nur kleiner Teil läßt sich zu Geld machen zunächst. Daher ersuche ich, meinem Antrag stattzugeben. Es bleiben dann immer noch die Ausgleiche eventueller Verkäufe für die angeführten Werkzeuge und der Beträge für Restarbeiten, welche ich fertigstellen muß, die bereits im Dezember und Januar bestellt waren.«

Der durch Kriegsereignisse in seiner Lebenskraft erschütterte 70jährige kam über die Zerstörung seines Ateliers und damit seines

Lebenswerkes nicht mehr hinweg – am 3. Oktober 1945 starb er in Berlin und wurde auf dem Friedhof der Friedrichswerderschen Gemeinde an der Kreuzberger Bergmannstraße beerdigt; sein Grab ist heute eingeebnet.

Die erhaltengebliebene restliche phototechnische Ausrüstung soll – so erinnert sich die Tochter – nach der Verwüstung des nicht mehr betretbaren Ateliers von der NS-Organisation Todt für 10 000 RM angekauft worden sein – die Überweisung des Betrages sei eigenartigerweise jedoch erst nach der Kapitulation erfolgt.

Nach dem Zweiten Weltkrieg wurde das Eckhaus Gneisenau-/Zossener Straße zwar wiederhergestellt, der Glasaufbau des früheren Ateliers aber vermauert. Irgendein Interesse an den damals immer noch zahlreich vorhandenen Glasplatten-Negativen konnte sich zu jener Zeit niemand vorstellen – sie wurden größtenteils abgewaschen und 1945/46 an einen Glaser verkauft. Als die Ehefrau Max Missmanns mit ihrer Tochter 1949 nach Hessen übersiedelte, wurde auch der erhaltengebliebene Restbestand an Papierabzügen vernichtet. Lediglich das Konto Missmanns bei der Sparkasse der Stadt Berlin existierte kurioserweise noch bis zum 22. Februar 1951.

Die Arbeiten Max Missmanns haben – etwa ebenso wie die von Schwartz, Rückwardt oder Titzenthaler – relativ weite Verbreitung gefunden. In den verschiedensten Veröffentlichungen zur Geschichte und Kultur Berlins erschienen seine Lichtbilder, so beispielsweise in mehreren Jahrgängen der Zeitschrift »Berliner Architekturwelt« und der Illustrierten im Querformat »Berliner Leben«, in der Zeitschrift »Moderne Kunst« 1907, in Max Osborns Berlin-Bildband von 1912, in Franz Lederers Buch »Berlin und Umgebung« von 1929, in mehreren Ausgaben des »Groß Berliner Kalenders« oder im »Teltower Kreiskalender« von 1938, 1939 und 1942. Mehr als 50 seiner Aufnahmen illustrierten den 1941 erschienenen Inventarband »Die Kunstdenkmäler der Provinz Brandenburg – Der Kreis Teltow«. Max Missmanns Photographien dienten aber auch wiederholt als Vorlagen für manchmal sogar kolorierte Bildpostkarten verschiedener Herausgeber, unter ihnen J. Goldiner und S. & G. Saulsohn in Berlin. Im Verlag des mit Max Missmann befreundeten Verlegers Johann Ernst, dessen Papierwarengeschäft sich im Erdgeschoß des Hauses Gneisenaustraße 22 befand, erschien neben Stadtansichten auch eine umfangreiche Postkartenserie »Berliner Typen«. In den 30er Jahren entstanden Photogravüren nach Aufnahmen aus mehreren Jahrzehnten, die, mit dem Prägestempel »Max Missmann Berlin« versehen, vermutlich für ein größeres Mappenwerk bestimmt waren. Ein ausschließlich mit Missmann-Photographien illustriertes Werk hat es bis 1987 jedoch nicht gegeben – das hier vorliegende Buch ist das bislang umfangreichste.

In öffentlichen oder privaten Sammlungen war Max Missmann – bis auf das Märkische Museum – gar nicht oder nur mit Einzelphotographien vertreten. Erst mit der Übergabe des wesentlichen Teiles der noch in Familienbesitz befindlichen Aufnahmen an die Berlinische Galerie im Zusammenhang mit der dort 1989 veranstalteten Ausstellung änderte sich das. Es ist aber zu vermuten, daß sowohl in Firmenarchiven als auch Photosammlungen – wie der Landesbildstelle Berlin –, die zumeist jedoch nur thematisch, aber kaum nach Künstlern geordnet sind, Arbeiten von Max Missmann schlummern.

Sein photographisches Schaffen läßt sich sowohl in zeitlicher wie künstlerischer Entwicklung heute nur noch dank einer Tatsache so gut wie lückenlos verfolgen: Das Märkische Museum hat zwischen 1905 und 1943 nahezu 1100 Originalabzüge erworben. Sie nehmen innerhalb der Photosammlung des Museums nicht nur einen quantitativ beachtlichen, sondern auch einen qualitativ herausragenden Platz ein, ungeachtet der Verluste durch den Zweiten Weltkrieg. Dem 1874 gegründeten »Märkischen Provinzial-Museum« kommt das heute nicht hoch genug einzuschätzende Verdienst zu, von Anfang an systematisch photographische Dokumente gesammelt zu haben – von Daguerreotypien über frühe Papierabzüge bis zu Lichtbildern namhafter Berliner Ateliers der ersten Hälfte unseres Jahrhunderts. Das Märkische Museum übernahm direkt von Max Missmann nachweislich mehr als 850 Aufnahmen. Als Geschenk der Berliner Textilfirma Holzapfel & Schönemann gelangte dagegen 1935 ein Album mit 84 Lichtbildern Missmanns aus dem Jahre 1910 in Museumsbesitz. Sie zeigen im ungewöhnlichen Hochformat von 20 x 10 cm kaiserliche Hoflakaien und -bedienstete in Uniform, und zwar jeweils in Vorder- und Rückansicht – ganz offensichtlich eine größere Auftragsarbeit für das von Hermann Hoffbauer gegründete Großunternehmen.

Die Eintragungen in den Inventarbüchern des Märkischen Museums geben nicht nur Auskunft über das Zustandekommen und die Entwicklung der Photosammlung des Hauses, sondern auch über damals übliche Ankaufspreise; diese wiederum lassen Rückschlüsse auf den Stellenwert und die Wertschätzung zu, welche die Photographie im allgemeinen und einzelne Lichtbildner im besonderen in dem jeweiligen Zeitraum genossen haben.

Beim ersten Missmann-Ankauf im März 1905 wurden 31 Ansichten von Berlin – darunter auch mehrere Darstellungen des Krögels – für insgesamt 77,50 RM erworben, pro Aufnahme also für nur 2,50 RM. Zwei Jahre später kaufte das Haus sieben Photographien für zusammen 22,50 RM. Weitere Zugänge gab es 1910, und ein Jahr später folgte der Kauf von 18 Lichtbildern für 55 RM – unter ihnen elf frühe Aufnahmen von Rheinsberg und Chorin mit Negativnummern zwischen 8 und 23. Gleichzeitig erhielt aber beispielsweise Rudolf Dührkoop für 26 Berlin-Ansichten und Genredarstellungen vom Märkischen Museum die erhebliche Summe von 464 RM, Waldemar Titzenthaler für zehn Originalabzüge nur 35 RM. Während Dührkoop damals zu den gefragtesten deutschen Photographen zählte, mußten sich die der nächsten Generation angehörenden Titzenthaler und Missmann erst einen Namen machen und mit relativ bescheidenen Honoraren begnügen.

68 Lichtbilder Max Missmanns aus den Jahren 1903-1911 kaufte das Museum 1912, 84 weitere Originalabzüge drei Jahre später für 181

RM. Insgesamt 121 zwischen 1906 und 1913 entstandene Aufnahmen, vor allem Darstellungen aus dem Alltagsleben sowie vom Kriegsbeginn in Berlin, wurden 1918 für lediglich 118,25 RM erworben. Einige zeitgeschichtlich interessante Bilddokumente von 1918/19 kamen im April 1919 in die Museumssammlung. Für die beachtliche Zahl von 100 Motiven aus Berlin und der Mark Brandenburg erhielt Max Missmann im September desselben Jahres vom Museum immerhin fast 500 RM, also 5 RM je Abzug; für ein 31,5 x 95,5 cm großes Panoramaphoto der Spree wurden 32 RM gezahlt. 92 Motive aus den Jahren 1903-1919 übernahm das Haus im März 1921 für 1141 RM, wobei allerdings die erhebliche Geldentwertung der Inflationszeit zu berücksichtigen ist.

Die folgenden zwei Jahrzehnte – von 1922 bis 1942 – hat das Märkische Museum keine weiteren Arbeiten Missmanns erworben. In dieser Zeit ging die Zahl der Ankäufe von Berlin-Ansichten insgesamt

Spreetaucher am Mühlendamm, 1903

stark zurück – das Museum konzentrierte sich auf die Ergänzung seiner Sammlung durch Daguerreotypien und Photographien der zweiten Hälfte des 19. Jahrhunderts, vor allem von Porträts. Daneben wurden 1928 von der Staatlichen Bildstelle insgesamt 472 Meßbildaufnahmen von historisch bedeutsamen Bauwerken Berlins und der Mark Brandenburg für nur 99,40 RM erworben – zum größten Teil handelte es sich um Ausschußabzüge. Im April 1943 erfolgte schließlich der letzte große nachweisbare Ankauf direkt von Max Missmann. Die Museumssammlung wurde durch insgesamt 308 ab 1903 entstandene Photographien zum Gesamtpreis von 803,50 RM – pro Motiv zwischen 1,50 und 3 RM – bereichert. Hierbei handelte es sich nicht nur um den zahlenmäßig größten Zugang an Missmann-Arbeiten, sondern zugleich um eine der umfangreichsten Photoerwerbungen des Märkischen Museums überhaupt.

Die spätesten Lichtbilder Missmanns in der Sammlung stammen aus dem Jahre 1941 – und wiederum sind es, wie schon vier Jahrzehnte

9

Weidendammer Brücke im Zuge der Friedrichstraße von Süden, 1910

Blick über die Fischerbrücke zum Mühlendamm, 1904

zuvor, märkische Motive: Ansichten von Mittenwalde und Zossen sowie des neuerbauten Trebbiner Rathauses mit der Negativnummer 23 784. Wieviele nichtveröffentlichte Aufnahmen bis dahin entstanden sein mögen, kann man nur vermuten – bei den hohen eigenen Qualitätsansprüchen Missmanns, sowohl aus Berufsethos wie sicherlich auch aus Geschäftsgründen, müssen es mehrere Zehntausende gewesen sein.

Die Formate der durchweg von Glasplatten-Negativen hergestellten Papierabzüge reichen von 13 x 18 cm bis 30 x 40 cm, wobei die Größen 24 x 30 cm und 18 x 24 cm überwiegen, also ganz offensichtlich die von Max Missmann bevorzugten Aufnahmeformate waren. Ausnahmen sind z. B. die teilweise meterbreiten, aufwendig montierten Panoramaaufnahmen, eine Spezialität vom Anfang des Jahrhunderts.

Die Zusammensetzung der Museumsbestände läßt bemerkenswerte Rückschlüsse auf die bevorzugten Themen Max Missmann zu – auch wenn sie nur etwa den zwanzigsten Teil seines Gesamtschaffens ausmachen, bieten sie doch einen repräsentativen Querschnitt und vermitteln ein gültiges Gesamtbild. Mehr als die Hälfte der vorhandenen Photographien zeigt Straßen und Plätze in den verschiedenen Teilen Berlins. Darunter sind allein 65 Darstellungen der Straße Unter den Linden aus der Zeit zwischen 1904 und 1936, 28 Aufnahmen der Friedrichstraße, 27 des Potsdamer Platzes sowie je 17 des Königsplatzes (heute Platz der Republik) und der Hardenbergstraße. Bei den rund 130 Photographien von Berliner Kirchen ist allein der neue Dom am Lustgarten 22mal vertreten. Unter den Denkmälern stehen die der Siegesallee an erster Stelle. Vom Märchenbrunnen im Friedrichshain sind 16 Aufnahmen aus dem Einweihungsjahr 1913 vorhanden. Daß Landschaftsdarstellungen die besondere Liebe Max Missmanns gegolten hat, beweist allein die Zahl von mehr als 60 Motiven aus dem Berliner Tiergarten in der Sammlung des Märkischen Museums, von 20 aus dem Grunewald, 14 aus dem Kreuzberger

Viktoriapark und zehn aus dem Charlottenburger Lietzenseepark. Gerade die Landschaftsaufnahmen vermitteln einen Eindruck von den künstlerischen Ambitionen Missmanns, dem dieses Genre gegenüber der zumeist viel stärker objektbezogenen »reinen« Architekturphotographie mehr Gestaltungsmöglichkeiten bot. Nicht mehr allein die Wahl des günstigsten Aufnahmestandortes, des vorteilhaftesten Blickwinkels ist für ein gutes Lichtbild entscheidend – in zunehmendem Maß werden scheinbar subjektive Faktoren nicht nur berücksichtigt, sondern im Interesse einer größeren Ausdrucksvielfalt ganz bewußt gesucht und genutzt: Licht- und Schattenwirkungen ebenso wie Spiegelungen im Wasser, Wolkenbildungen, Dämmerung und Sonnenuntergang, Nebel, Rauhreif, Schnee und Regen, Frühlingsblüten und Herbstlaub.

Aber auch bei »reinen« Architekturaufnahmen erreichte Max Missmann durch die Einbeziehung des topographischen Umfeldes und des sozialen Milieus eine neue Qualität – im Vergleich dazu fällt bei den Stadtdarstellungen des 19. Jahrhunderts eine gewisse Nüchternheit und Steifheit auf. Letztere hatte ihre Ursache auch im Entwicklungsstand der Phototechnik: die geringe Lichtstärke des Negativmaterials und die Lichtschwäche der Objektive hatten lange Belichtungszeiten oder unvermeidliche Bewegungsunschärfen zur Folge. Die neuen, entscheidend verbesserten technischen Möglichkeiten zu Beginn des 20. Jahrhunderts spiegeln sich im Schaffen Max Missmanns deutlich wider, auch wenn manche frühen Aufnahmen noch Unzulänglichkeiten erkennen lassen.

Lichtbildstudien von hohem künstlerischen Rang und atmosphärischer Dichte sind beispielsweise die Bilder aus den Winkeln des Krögels, aus den damals noch ländlichen Vororten der Stadt, aus dem Tiergarten und dem Grunewald.

Im Laufe von mehr als vier Jahrzehnten hat Max Missmann ein photographisches Werk geschaffen, daß die Entwicklung Berlins in diesem ereignisreichen Zeitraum gleichermaßen mit sachbetonter Beobachtergenauigkeit wie mit künstlerischem Einfühlungsvermögen festgehalten hat. Bekannte historische und gerade neuerstandene Gebäude, Straßenzüge und Plätze, Brücken, Verkehrsmittel und -bauten, Denkmäler und Brunnen, Parkanlagen und Gewässer hat Missmann ebenso auf die Platte gebannt wie Szenen aus dem Alltagsleben, die unmittelbares Zeitkolorit wiedergeben. Zahlreiche, vom Photographen vielfach oft ganz bewußt in das Bild einbezogene Details erleichtern dem heutigen Beobachter die historische Einordnung der Einzelmotive. Die malerische Postierung von Personen auf verschiedenen Aufnahmen zeigt das untrügliche Gespür Missmanns für einen wirkungsvollen Bildaufbau.

Zeitgeschichtliche Ereignisse hat Max Missmann relativ selten und zumeist nur indirekt festgehalten - Beispiele dafür sind etwa die Festausschmückung zum 25jährigen Regierungsjubiläum Kaiser Wilhelms II. im Jahre 1913, die Kriegsproklamation 1914, einige Darstellungen aus den Jahren des Ersten Weltkrieges sowie Gebäudeansichten mit Spuren der Revolutionskämpfe von 1918/19. Häufig sind Photoaufnahmen unmittelbar nach der Vollendung von Gebäuden, Denkmälern, Park- oder Verkehrsanlagen entstanden - wahrscheinlich hat Missmann die aktuelle Veränderung des Stadtbildes gereizt, wenn es sich nicht um Auftragsarbeiten gehandelt hat. Den Zeitgeist der Hauptstadt des deutschen Kaiserreiches, der Weltkriegs- und Revolutionszeit sowie der Weimarer Republik und des beginnenden Dritten Reiches spiegeln jedoch auch viele der »reinen« Architekturphotographien wider, ebenso die zahlreichen Straßendarstellungen und Impressionen des großstädtischen Lebens.

Von besonderem stadthistorischen Interesse ist die schon erwähnte, zwischen 1903 und 1907 entstandene Folge von Aufnahmen des Krögels, die in eindrucksvoller Weise nicht nur Alt-Berliner Atmosphäre wiedergeben, sondern unverfälschte Eindrücke von unzumutbaren und kaum vorstellbaren Lebensbedingungen im kaiserlichen Berlin vermitteln. Die Wahl solch prägnanter Motive und gelegentlich auch die Darstellung arbeitender Menschen darf sicherlich nicht nur als Vorliebe für originelle oder malerisch-romantische Motive aus dem alten Berlin gewertet werden. Da sich Max Missmann aber als Architekturphotograph in erster Linie für den unbelebten Gegenstand und erst in zweiter Linie für das Ereignis, die Aktion, und dessen Auswirkung interessierte, hielt sich sein soziales Bekenntnis in Grenzen. Zur gleichen Zeit haben Künstler wie Heinrich Zille, Hans Baluschek oder Käthe Kollwitz von starkem sozialkritischen Engagement geprägte Werke geschaffen. Es ist übrigens kaum anzunehmen, daß Max Missmann die photographischen Milieustudien Zilles gekannt hat, die für diesen mehr oder weniger Vorarbeiten für spätere Grafiken waren.

In seinem gesamten Schaffen ging es Missmann stets darum, den jeweiligen Darstellungsgegenstand aus der günstigsten Perspektive und im vorteilhaftesten Moment so zu photographieren, daß der Betrachter einen optimalen Eindruck von dem betreffenden Objekt erhält. Alle Arbeiten lassen das deutliche Bemühen um eine ausgewogene Bildkomposition erkennen - bei den kleinformatigen Genredarstellungen ebenso wie bei den großformatigen, kunstvoll zusammengesetzten drei- bis fünfteiligen Stadtpanoramen. Diesem Ziel dienen auch einige sehr umfangreiche Photomontagen - wie etwa bei dem Marktpanorama des Winterfeldtplatzes - oder das gelegentliche Einkopieren von Personen oder Fahrzeugen. Die so entstandenen Bildarrangements zeugen von einem starken Gestaltungswillen, der über den des traditionellen Lichtbildners hinausgeht.

Bei bestimmten Bauwerken und Ensembles hat Max Missmann im Verlauf von mehreren Jahrzehnten immer von neuem versucht, das Wesentliche lichtbildnerisch festzuhalten und dabei auch zeitbedingte Veränderungen zu erfassen. Daß er auf photographische Experimente - bis auf die Montagetechnik - verzichtete und sich auf hohe technische Bildqualität konzentrierte, ist kennzeichnend für den Architekturphotographen. Vom Anbeginn bis zum erzwungenen Ende seiner photographischen Tätigkeit hat er immer wieder märkische Dorfstraßen und Waldseen ebenso aufgenommen wie Repräsentationsbauten und Verkehrsknotenpunkte der Großstadt. Mit seinem umfangreichen und zugleich ungewöhnlich einheitlichen Oeuvre hat sich Max Missmann als unbestechlicher und unprätentiöser Bildchronist Berlins beachtliche und bleibende Verdienste erworben und sich einen hervorragenden Platz in der Berliner Photographiegeschichte gesichert.

*

Die vorliegende Bildauswahl versucht zum einen, die im ersten Jahrhundertdrittel enorm expandierende Weltstadt Berlin vorzustellen, und zum anderen, einen Eindruck von der photokünstlerischen Qualität sowie der Vielfalt der Arbeiten Max Missmanns zu vermitteln. Dabei war selbstverständlich von dem vorhandenen Bildmaterial auszugehen und zu berücksichtigen, daß sich Missmann für die Außenbezirke im Norden und Osten - Reinickendorf, Pankow, Weißensee und Lichtenberg - kaum oder gar nicht interessiert hat. Trotzdem können die hier vorgestellten Photographien eine hervorragende Vorstellung von der heterogenen Struktur der 1920 gebildeten Stadtgemeinde Groß-Berlin geben.

Die Originalvorlagen der Abbildungen befinden sich im Besitz des Märkischen Museums, dem für die Veröffentlichungserlaubnis zu danken ist. Die Reproduktionsvorlagen fertigte Christel Lehmann, Leiterin der Fotowerkstatt des Märkischen Museums, an. Der Argon Verlag ermöglichte eine optimale Präsentation des Bildmaterials und kam dabei weitestgehend meinen Wünschen entgegen.

*

In der 2. Auflage des Buches wurden einige Fehler korrigiert; da aber der Prozeß der Straßenumbenennungen und veränderten Gebäudenutzung in den östlichen Bezirken Berlins noch nicht abgeschlossen ist, werden wohl in Zukunft noch weitere Korrekturen notwendig sein. Für Hinweise sind Verlag und Herausgeber gleichermaßen dankbar.

Berlin-Adlershof, im Juli 1991          Wolfgang Gottschalk          11

Abbildungen

**Bau der Untergrundbahn auf dem Alexanderplatz, 1911.** Blick von der Südostecke
Alexander-/Grunerstraße über den einstigen Ochsenmarkt, der seit 1805 den Namen des Zaren
Alexanders I. trägt; die 3,5 Kilometer lange Hoch- und Untergrundbahnstrecke Alexanderplatz –
Nordring (heute Schönhauser Allee) 1913 eröffnet

**Alexanderplatz mit Warenhaus Tietz, 1925.** Kernbau 1904-05 von der Architektengemeinschaft Cremer & Wolffenstein errichtet, später mehrfach erweitert zu einem der größten Kaufhäuser Europas; im II. Weltkrieg zerstört, heute etwa Standort des sog. Brunnens der Völkerfreundschaft von 1969; die gärtnerische Gestaltung des Platzes um 1890 durch Hermann Mächtig

15

**Panorama des Alexanderplatzes von Nordosten, 1906 (Neuabzug von 1932).** Blick von der Ecke
Neue Königstraße/Landsberger Straße (gegenwärtig Hans-Beimler-Straße/Karl-Marx-Allee) zum 1882
eröffneten Bahnhof Alexanderplatz, dahinter die Königskolonnaden (1770/80 erbaut) und der Turm
des Roten Rathauses (1861-69 erbaut); ganz links das Polizeipräsidium (1886-90 erbaut), ganz rechts das
Warenhaus Tietz (1904-11 erbaut), auf dem Vorplatz das Standbild der Berolina von Emil Hundrieser
(1895 aufgestellt); der Platz nach Kriegszerstörung ab 1966 völlig neugestaltet

17

**Klosterstraße mit Parochialkirche, 1913.** Blick in die Straße von Nordwesten; im Vordergrund die
durch Alfred Grenander erbaute Station der 1911-13 geschaffenen U-Bahnstrecke Alexanderplatz –
Spittelmarkt; die Kirche 1713/14 durch Jean de Bodt und Philipp Gerlach errichtet, 1944 ausgebrannt,
Turmaufsatz mit Glockenspiel zerstört

**Kreuzung Königstraße/Hoher Steinweg, 1931.** Blick vom Roten Rathaus, Ecke König-/Jüdenstraße,
in nördlicher Richtung zum Salamander-Geschäftshaus, 1930/31 von Johann Emil Schaudt errichtet,
im II. Weltkrieg zerstört wie alle anderen Gebäude im Bild; Hoher Steinweg existiert heute nicht mehr,
Königstraße in Rathausstraße umbenannt

**Parochialstraße, 1904.** Blick in westliche Richtung zur Spandauer Straße; im Hintergrund die Türme der Nikolaikirche; sämtliche Gebäude im II. Weltkrieg zerstört; der abgebildete Straßenteil heute Kreuzungsbereich Grunerstraße/ Spandauer Straße/Mühlendamm

**Nikolaikirche, 1904.** Blick aus der Poststraße in nördliche Richtung; die älteste Pfarrkirche Berlins (mit zwei Vorgängerbauten), von etwa 1380 bis zum Ende des 15. Jahrhunderts erbaut; im II. Weltkrieg schwer beschädigt, 1981-87 wiederaufgebaut, seitdem museal genutzt; im Vordergrund rechts das Knoblauchhaus (1759 erbaut, Anfang 19. Jahrhundert klassizistisch umgestaltet, heute Museum und Gaststätte); im Hintergrund links der Rathausturm

**Waisenstraße, 1904.** Blick die schmale Straße entlang in südliche Richtung; rechts an der Ecke zur Parochialstraße der Parochialkirchhof; heute nur noch die Häuser Nr. 14-16 (ganz links im Bild) mit der Gaststätte »Zur letzten Instanz« erhalten

**Krögelgasse, 1907.** Vom Molkenmarkt in südliche Richtung zur Spree führende Gasse; Gebäude im Kern z. T. bis ins Mittelalter zurückreichend; 1935/36 Abriß im Zusammenhang mit dem Neubau der Münze am Molkenmarkt und der Mühlendammschleuse

23

**Friedrichsgracht, 1906.** Blick den als Friedrichsgracht bezeichneten Spreearm aufwärts in nordöstliche Richtung von der Roßstraßen- zur Inselbrücke; links die hier nicht mehr existierende Straße Friedrichsgracht, rechts die Straße Neu-Kölln am Wasser (heute Märkisches Ufer); im Hintergrund Turm der Waisenhauskirche (1702-27 erbaut, 1907 abgerissen)

**Jungfernbrücke, 1904.** Blick von der Unterwasserstraße in nördliche Richtung über die 1798 erbaute Zugbrücke – die älteste erhaltene Brücke Berlins überhaupt – über den als Schleusengraben bezeichneten Spreearm; rechts Beginn der Straße Friedrichsgracht, links der Straße An der Schleuse (heute nicht mehr existierend)

25

**Spreeblick zum Neuen Stadthaus, 1913.** Blick von der Straße Neu-Kölln am Wasser über die Spree
zum damaligen Neuen Stadthaus (1902-11 nach Entwürfen Ludwig Hoffmanns errichtet) mit
101 Meter hohem Turm; bis 1990 Sitz des DDR-Ministerrates

**Spree-Tunnelbau für die Untergrundbahn, 1911.** Blick von der Straße Neu-Kölln am Wasser
(heute Märkisches Ufer) in nördliche Richtung zur Kleinen Stralauer Straße und Klosterstraße;
im Hintergrund die Türme von Rathaus, dahinter Marienkirche, Stadthaus und Parochialkirche (von
links nach rechts); der U-Bahnabschnitt zwischen den Stationen Klosterstraße und Inselbrücke (seit
1935 Märkisches Museum) 1913 dem Verkehr übergeben

**Kurfürstenbrücke mit Kurfürstendenkmal, 1905.** Blick von der Burgstraße in westliche Richtung zu den Barockportalen I und II des Schlosses, links an der Spree die ältesten Schloßteile aus dem 15. und 16. Jahrhundert; das Denkmal des Großen Kurfürsten von Andreas Schlüter 1703 auf der 1894-96 erbauten heutigen Rathausbrücke 1703 aufgestellt, seit 1952 vor dem Schloß Charlottenburg; links der Neue Marstall, 1897-1900 durch Ernst von Ihne erbaut

**Kaiser-Wilhelm-Brücke und Schloß, 1905.** Blick von der Burgstraße über die 1886-89 erbaute
derzeitige Liebknechtbrücke in südliche Richtung auf Spree- und Lustgartenfront des Schlosses;
der im Laufe von nahezu 500 Jahren entstandene Schloßkomplex im II. Weltkrieg schwer beschädigt,
1950/51 gesprengt, seit 1976 z. T. Standort des sog. Palastes der Republik; im Hintergrund links
die Kurfürstenbrücke und der Neue Marstall

**Burgstraße, Friedrichsbrücke und Dom, 1924.** Blick vom Gebäude des Zirkus Busch in südliche
Richtung; der 1895 bis 1905 nach Plänen von Julius Raschdorff erbaute Dom nach Kriegsbeschädigung
seit 1974 im Wiederaufbau; im Hintergrund rechts der Lustgarten und die Kolonnaden der Alten
Nationalgalerie auf der Museumsinsel

**Schloßbrücke, Lustgarten und Dom, 1909.** Blick über die 1821-24 nach Entwürfen Karl Friedrich Schinkels erbaute Schloßbrücke (derzeit Marx-Engels-Brücke) in nordöstliche Richtung über den Lustgarten mit dem Denkmal für Friedrich Wilhelm III. von Albert Wolff, 1871 enthüllt (nach 1945 z. T. eingeschmolzen); links das Alte Museum, 1823-28 nach Entwürfen Schinkels errichtet, nach Kriegsbeschädigung 1966 wieder eröffnet; links neben dem Dom der Anfang der Kaiser-Wilhelm-Straße (heute Karl-Liebknecht-Straße)

31

**Platz vor der Neuen Wache Unter den Linden, 1930.** Blick in südöstliche Richtung zu
Kronprinzenpalais, Kommandantur und Schloßkuppel (von rechts nach links); links im Vordergrund
das Denkmal für Bülow von Dennewitz, im Hintergrund das für Scharnhorst, beide 1822 von
Christian Daniel Rauch geschaffen; dahinter der Barockbau des Zeughauses (seit 1990 Deutsches
Historisches Museum)

**Opernhaus Unter den Linden, 1930.** Blick vom Platz am Zeughaus in südwestliche Richtung zur 1741-43 von Georg Wenzeslaus von Knobelsdorff erbauten Hofoper; Erhöhung des Bühnenhauses 1926-28; nach schwerer Beschädigung im II. Weltkrieg 1952-55 als Deutsche Staatsoper Berlin wiederaufgebaut; auf der Südseite der Straße Unter den Linden die Denkmäler für Blücher, Gneisenau und Yorck von Wartenburg (von rechts nach links), von Christian Daniel Rauch zwischen 1822 und 1855 geschaffen

**Wachaufzug Unter den Linden, 1905.** Blick in westliche Richtung, ganz links das Palais Kaiser Wilhelms I. (1834-36 von Karl Ferdinand Langhans erbaut); auf der Nordseite der Straße (von links nach rechts) Seitenflügel der Friedrich-Wilhelms-Universität (1748-66 erbaut, seit 1810 Universität), das im Abriß befindliche Alte Akademiegebäude (1687-1706 erbaut) und das Denkmal Friedrichs des Großen (1851 enthüllt, von Christian Daniel Rauch geschaffen)

**Straße Unter den Linden, 1930.** Blick vom Opernhaus in westliche Richtung; auf der Nordseite
(in der Mitte rechts) der 1903-1914 nach Plänen Ernst von Ihnes errichtete Gebäudekomplex der
Preußischen Staatsbibliothek (heute Alte Staatsbibliothek)

**Mittelpromenade der Straße Unter den Linden, 1910.** Blick von der nördlichen Straßenseite zum Café Bauer (1867 gegründet, das Gebäude von 1878 im II. Weltkrieg zerstört, heute dort eine Brunnenanlage vor dem Gaststättenkomplex »Lindencorso«) an der Südostecke zur Friedrichstraße; auf der Promenade eine vom Magistrat nach 1891 aufgestellte Urania-Säule mit Normaluhr

**Kreuzung Unter den Linden/Friedrichstraße, 1913.** Blick in südliche Richtung; die Straße im Festschmuck anläßlich des 25jährigen Regierungsjubiläums Kaiser Wilhelms II.; links das Café Bauer, rechts die 1825 eröffnete Konditorei Kranzler (das 1834 von Friedrich August Stüler errichtete Gebäude später mehrfach umgebaut), 1944 zerstört, heute Nordostecke des Grand-Hotels

**Kreuzung Unter den Linden/Friedrichstraße, 1907.** Blick von der Kranzler-Ecke in nördliche
Richtung zum Bahnhof Friedrichstraße; an der Nordostecke das Ende der 70er Jahre des
19. Jahrhunderts eröffnete Café Victoria, im II. Weltkrieg zerstört, heute Grünanlage vor dem
Hotel Unter den Linden; links im Vordergrund die Urania-Säule mit Normaluhr

**Friedrichstraße in nördlicher Richtung, 1905.** Auf der linken, westlichen Straßenseite an der Ecke zur Behrenstraße die Kaisergalerie, eine bis zur Straße Unter den Linden führende Passage, 1869-73 von Walter Kyllmann und Adolf Heyden errichtet; im II. Weltkrieg zerstört, seit 1987 Standort des Grand-Hotels

**Am Bahnhof Friedrichstraße, 1907.** Blick durch die Stadtbahnunterführung die Friedrichstraße entlang in Richtung Norden; der nach Entwürfen von Johannes Vollmer errichtete Stadtbahnhof 1882 dem Verkehr übergeben; im Vordergrund rechts eine 1892 eröffnete Aschinger-Bierquelle, links das 1878-80 erbaute Central-Hotel

**Varieté Wintergarten in der Dorotheenstraße 16, 1907.** Um 1900 gab es rund 150 Varietés in Berlin
– das größte und bekannteste war der 1887 eröffnete »Wintergarten« im Central-Hotel; das Gebäude an
der heutigen Clara-Zetkin-Straße wurde im II. Weltkrieg zerstört

**Weidendammer Brücke vor dem Abbruch, 1914.** Blick in südwestliche Richtung spreeabwärts zur Stadtbahn; die 1895-97 von Otto Stahn erbaute Brücke im Zusammenhang mit dem U-Bahntunnelbau 1914 abgetragen, 1922 mit verbreiterter Fahrbahn wiederhergestellt; dahinter eine Behelfsbrücke sichtbar; im Hintergrund rechts der Schiffbauerdamm, links das Reichstagsufer

**Schlütersteg über die Spree, 1906.** Blick von Nordwesten auf den 1889/90 als eiserne
Fußgängerbrücke errichteten Schlütersteg (im II. Weltkrieg zerstört); links der Bahnhof Friedrichstraße
mit Fern- und Stadtbahnsteigen; in der Mitte im Hintergrund die Georgenstraße; rechts an der Ecke
Neustädtische Kirchstraße/Reichstagsufer das Elite-Hotel (im II. Weltkrieg zerstört)

**Reichskanzler-Palais in der Wilhelmstraße 77, 1927.** Auf der Westseite der derzeitigen
Otto-Grotewohl-Straße 1736-39 als Privatpalais erbaut, 1875/76 umgebaut und bis 1890
Dienstwohnung des Reichskanzlers Fürst Bismarck; im II. Weltkrieg ausgebrannt, die Ruine 1949
beseitigt

**Warenhaus Tietz am Dönhoffplatz, 1913.** Blick aus östlicher Richtung auf Dönhoffplatz (links) und Leipziger Straße (rechts); das Warenhaus 1900 von der Architektengemeinschaft Sehring & Lachmann erbaut, 1912 von Cremer & Wolffenstein zum Dönhoffplatz erweitert, im II. Weltkrieg ausgebrannt, 1960 abgebrochen; der Dönhoffplatz nach der Neubebauung der Leipziger Straße ab 1969 nicht mehr existent

**Kunstgewerbemuseum und Kunstgewerbeschule in der Prinz-Albrecht-Straße, 1911.** Blick vom Vorplatz des Abgeordnetenhauses über die heutige Niederkirchnerstraße in südöstliche Richtung zum Kunstgewerbemuseum (1877-81 erbaut von Martin Gropius und Heino Schmieden, nach Kriegsbeschädigung als Martin-Gropius-Bau seit 1981 wieder für Ausstellungen genutzt) und zur Kunstgewerbeschule (1901-05 erbaut), 1933-1945 Sitz der Gestapo und des Reichsführer-SS, im II. Weltkrieg beschädigt, 1956 gesprengt

**Preußisches Abgeordnetenhaus in der Prinz-Albrecht-Straße 5, 1911.** Blick von Südosten auf
die Hauptfront des Landtagsgebäudes, 1893-98 nach Plänen von Friedrich Schulze errichtet, an
der heutigen Niederkirchnerstraße; künftiger Sitz des Berliner Abgeordnetenhauses

**Gendarmenmarkt, 1905.** Blick von der südöstlichen Ecke Markgrafen-/Mohrenstraße über den derzeitigen Platz der Akademie; im Vordergrund die Neue oder Deutsche Friedrichstadtkirche (Deutscher Dom genannt, 1701-08 erbaut, nach Kriegsbeschädigung seit 1982 im Wiederaufbau), in der Mitte das Schauspielhaus (1818-21 von Karl Friedrich Schinkel errichtet, nach Kriegsbeschädigung bis 1984 als Konzerthaus wiederhergestellt) und rechts die Französische Friedrichstadtkirche (Französischer Dom genánnt, 1701-05 errichtet, nach Kriegsbeschädigung bis 1987 wiederhergestellt); die Kuppeltürme der beiden Dome 1780-85 nach Karl von Gontards Entwürfen durch Georg Christian Unger ausgeführt; in der Platzmitte das Schillerdenkmal, von Reinhold Begas geschaffen, 1871 enthüllt

**Brandenburger Tor von der Tiergartenseite, 1909.** Blick aus der Königgrätzer Straße (heute
Ebertstraße) in nördliche Richtung; der Platz vor dem Brandenburger Tor 1903 nach Plänen
Ernst von Ihnes umgestaltet; links im Hintergrund Kuppel und Ecktürme des Reichstagsgebäudes

**Panorama des Potsdamer Platzes, 1899.** Blick vom Potsdamer Platz in östliche Richtung zum Leipziger Platz, 1828 von Peter Joseph Lenné als erster innerstädtischer Schmuckplatz gestaltet; in der Mitte die beiden von Karl Friedrich Schinkel 1823/24 erbauten Torhäuser, deren Kriegsruinen 1957/58 beseitigt; an den Platzecken zur Königgrätzer Straße (heute Stresemannstraße) links das Palasthotel (1892/93 von Ludwig Heim erbaut, im II. Weltkrieg ausgebrannt und später abgerissen), rechts das Hotel Fürstenhof (Mitte des 19. Jahrhunderts erbaut, 1908 durch Neubau ersetzt, im II. Weltkrieg zerstört)

**Potsdamer Platz und Leipziger Platz, 1930.** Blick von Westen in die Leipziger Straße; an deren nordwestlicher Ecke zum Leipziger Platz der Kopfbau des Warenhauses Wertheim 1896-1906 von Alfred Messel errichtet, die Kriegsruine 1955 abgebrochen; im Vordergrund der erste Verkehrsturm mit Lichtsignalen von 1924, 1935 beseitigt

**»Haus Vaterland« am Potsdamer Platz, 1926.** Blick von Norden auf das Eckgebäude
Köthener/Königgrätzer Straße, 1911/12 als »Haus Potsdam« durch Franz Schwechten errichtet, 1914 in
»Haus Vaterland« umbenannt, im II. Weltkrieg beschädigt, danach abgerissen; der U-Bahnhof 1906/07
nach Entwürfen von Alfred Grenander erbaut; rechts angeschnitten der Potsdamer Bahnhof, 1870-72
errichtet, Kriegsruine 1973/74 abgerissen

**Potsdamer und Victoriabrücke über den Landwehrkanal, 1907.** Blick in westliche Richtung; die Doppelbrücke im Zuge der Potsdamer Straße 1897/98 mit Denkmälern für Helmholtz, Röntgen, Siemens und Gauß errichtet; die Viktoriabrücke 1938 abgerissen, die Potsdamer Brücke nach Kriegsbeschädigung Mitte der 60er Jahre durch Neubau ersetzt

**Potsdamer Platz und Potsdamer Straße, 1907.** Blick von Nordosten in die Potsdamer Straße; ganz
rechts an der Ecke zur Bellevuestraße das Café Josty mit Terrasse – hier von 1880 bis 1930 –; ganz links
am Potsdamer Platz die Konditorei Telschow

**Königsplatz mit Reichstagsgebäude und Bismarckdenkmal, 1907.** Blick von Nordwesten über den 1853 angelegten, heutigen Platz der Republik; das Reichstagsgebäude 1884-94 nach Entwürfen Paul Wallots errichtet, die Kriegsruine 1957-71 wiederaufgebaut ohne die 1954 gesprengte Kuppel; das Bismarck-Nationaldenkmal von Reinhold Begas 1901 enthüllt, ohne die seitlichen Brunnengruppen 1938 zum Großen Stern umgesetzt

**Floraplatz im Tiergarten, 1907.** Auf dem Rasenrondell 1905 anstelle einer Florastatue die Amazone zu Pferde von Louis Tuaillon (Erstfassung von 1895 vor der Alten Nationalgalerie) aufgestellt; heute südwestlich der Kreuzung Straße des 17. Juni/Entlastungsstraße zu finden

**Königsplatz mit Bismarckdenkmal und Siegessäule, 1935.** Blick über den heutigen Platz der Republik in westlicher Richtung; im Vordergrund das Bismarckdenkmal, rechts die Siegessäule; 1869-73 zur Erinnerung an die Feldzüge von 1864, 1866 und 1870/71 nach Entwurf von Johann Heinrich Strack errichtet, mit der Viktoria von Friedrich Drake 61,5 Meter hoch, 1938 zum Großen Stern umgesetzt und erhöht

**Kemperplatz und Siegesallee, 1925.** Blick in nördliche Richtung zum Platz der Republik mit
Siegessäule; im Vordergrund der Kemperplatz mit dem elf Meter hohen Rolandbrunnen, 1902 von
Otto Lessing geschaffen, im II. Weltkrieg zerstört; die 32, 1898-1901 aufgestellten Denkmalsgruppen
der Siegesallee 1938 an die Große Sternallee umgesetzt, die beschädigten Marmorskulpturen 1945
vergraben und 1978 wieder freigelegt; im Hintergrund rechts die Kuppel des Reichstagsgebäudes

**Lützowplatz, 1904.** Blick von der Friedrich-Wilhelm-Straße (heute Klingelhöferstraße) in Richtung Süden bis zum Winterfeldtplatz mit dem Turm der Matthiaskirche im Hintergrund; im Vordergrund die Herkulesbrücke von 1889/90 über den Landwehrkanal, deren Sandsteingruppen von 1791 bis 1890 an der Herkulesbrücke über den Festungsgraben nahe dem S-Bahnhof Börse (heute Marx-Engels-Platz) standen; in der Mitte des um 1900 angelegten Platzes der 14 Meter hohe Herkulesbrunnen, von Ludwig Hoffmann und Otto Lessing geschaffen; die Platzbebauung im II. Weltkrieg fast völlig zerstört, 1965/66 Neuanlage des Platzes

**Anhalter Bahnhof am Askanischen Platz, 1927.** Blick von Nordwesten über den Platz zum Bahnhof, 1875-80 nach Entwürfen von Franz Schwechten errichtet, Dachkonstruktion von dem Schriftsteller Heinrich Seidel; im II. Weltkrieg beschädigt, Dachkonstruktion 1952 gesprengt, 1959/60 bis auf einen Hauptportalrest gesprengt; im Vordergrund die Königgrätzer Straße (heute Stresemannstraße), nach rechts die Schöneberger Straße abzweigend

**Wittenbergplatz, 1905.** Blick über den Platz mit Gartenanlagen von 1889-92 sowie U-Bahn-Fahrkartenhäuschen von 1902 nach Entwurf von Alfred Grenander in nordöstliche Richtung zur Tauentzienstraße und Kaiser-Wilhelm-Gedächtnis-Kirche

**U-Bahnhof Wittenbergplatz, 1927.** Blick in nordwestliche Richtung über den 1913 durch Erwin
Barth umgestalteten Platz die Tauentzienstraße entlang zur Kaiser-Wilhelm-Gedächtnis-Kirche; links
an der Ecke Tauentzien-/Ansbacher Straße das Kaufhaus des Westens, 1906/07 von Johann Emil
Schaudt errichtet, 1929/30 erweitert, im II. Weltkrieg schwer beschädigt, Wiederaufbau ab 1950 und
Ausbau zum größten Warenhaus des Kontinents, annähernde Wiederherstellung des Dachgeschosses
geplant; der U-Bahnhof 1911-13 durch Alfred Grenander errichtet, 1983 rekonstruiert

**Mittelpromenade der Tauentzienstraße, 1906.** Blick in nordöstliche Richtung zum
Auguste-Victoria-Platz (heute Breitscheidplatz) mit Kaiser-Wilhelm-Gedächtnis-Kirche;
der Straßenmittelstreifen später mehrfach umgestaltet, zuletzt in den 80er Jahren

**Tauentzienstraße vor der Kreuzung Nürnberger Straße, 1930.** Blick in nordöstliche Richtung zur Kaiser-Wilhelm-Gedächtnis-Kirche, 1891-95 nach Entwurf von Franz Schwechten mit 113 Meter hohem Hauptturm erbaut, im II. Weltkrieg schwer beschädigt, Teile der Ruine in einen Neubau von 1961 einbezogen

**Kurfürstendamm an der Kreuzung Uhlandstraße, 1913.** Blick in östliche Richtung; auf der Mittelpromenade U-Bahnstation der 1913 eröffneten Linie 5 zum Wittenbergplatz, deren geplante Verlängerung in Richtung Halensee nicht verwirklicht wurde

**Kreuzung Kurfürstendamm/Joachimstaler Straße, 1905.** Blick von Norden in die Joachimstaler Straße zum Bahnhof Zoologischer Garten; die Bebauung des Joachimstaler Platzes, wie die Straßenkreuzung heißt, im II. Weltkrieg größtenteils zerstört

**Hochschule für bildende Künste und für Musik an der Hardenbergstraße, 1905.** Blick die Hardenbergstraße in südöstliche Richtung, im Hintergrund der Turm der Kaiser-Wilhelm-Gedächtnis-Kirche, im Vordergrund rechts der Steinplatz; der Gebäudekomplex der Hochschulen 1899-1902 nach Plänen der Architekten Kayser & von Groszheim errichtet, der Konzertsaal hinter dem Hauptgebäude an der Ecke zur Fasanenstraße im II. Weltkrieg zerstört, 1955 durch Neubau ersetzt; Gesamtkomplex seit 1975 Hochschule der Künste Berlin

**Am Bahnhof Zoologischer Garten, 1907.** Blick von der Ecke Joachimstaler/Hardenbergstraße in
nordwestliche Richtung; der 1880/81 erbaute Stadtbahnhof 1882 eröffnet, die vordere Bahnsteighalle
für den Fernverkehr 1884, 1934 durch Neubau ersetzt; im Hintergrund an der Ecke Hardenberg-/
Jebenstraße das Oberverwaltungsgericht, 1905-07 durch Kieschke & Fürstenau erbaut, heute
Bundesverwaltungsgericht

69

**Theater des Westens an der Kantstraße, 1907.** Blick in östliche Richtung, im Hintergrund hinter der Stadtbahnbrücke der Turm der Kaiser-Wilhelm-Gedächtnis-Kirche; das Theater 1895/96 von Bernhard Sehring erbaut, 1945-61 Ersatzbühne für die Städtische Oper Berlin

**Gartenanlagen am Savignyplatz, 1907.** Blick von Nordosten über den 1895 angelegten, 1926/27 umgestalteten und 1987 rekonstruierten Platz im Zuge der Kantstraße; links hinter dem Stadtbahnhof Savignyplatz die Kaiser-Friedrich-Schule (heute Uhland- und Schlüter-Gesamtschule)

71

**Untergrund-Bahnbau am Bayerischen Platz, 1909.** Blick über den nach 1900 geschaffenen Platz in Richtung Norden; Bauarbeiten nach Plänen von Stadtbaurat Friedrich Gerlach für die 1910 eröffnete U-Bahnlinie vom Nollendorfplatz zum heutigen Innsbrucker Platz

**Bayerischer Platz, 1912.** Blick nach Norden in die Landshuter Straße, nach links die Aschaffenburger, nach rechts die Speyer Straße abzweigend; gärtnerische Gestaltung als Mittelpunkt des Anfang des 20. Jahrhunderts entstandenen Bayerischen Viertels 1907/08 durch Fritz Encke; im Hintergrund der Turm der 1912 eingeweihten Kirche zum Heilsbronnen

**Viktoria-Luise-Platz, 1911.** Blick über den 1899 von Fritz Encke angelegten und 1957 vereinfacht wiederhergestellten Platz von Osten; in der Mitte des rechten Häuserblocks das Lette-Haus, 1902 als Lehranstalt für Frauenberufe von Alfred Messel erbaut

**Ludwigkirchplatz mit St.-Ludwigs-Kirche, 1906.** Blick über den Platz in Richtung Südwesten, links
die Pfalzburger Straße; die katholische Kirche Ende des 19. Jahrhunderts von August Menken errichtet

**Berliner Straße und Charlottenburger Torbrücke, 1909.** Blick von Osten die heutige Straße des 17. Juni entlang; die Brücke 1905 mit prunkvollem Toraufbau durch B. Schäde errichtet; die Bronzestandbilder für König Friedrich I. und Königin Sophie Charlotte von Heinrich Baucke 1909 aufgestellt

**Charlottenburger Brücke über den Landwehrkanal, 1907.** Blick von Südosten auf die Anlage,
deren Durchfahrt 1938 im Zusammenhang mit der sogenannten Ost-West-Achse verbreitert wurde;
das Gesamtbauwerk nach Kriegsbeschädigungen vereinfacht wiederhergestellt

**Hauptgebäude der Technischen Hochschule Charlottenburg, 1909.** An der Südseite der Berliner Straße (heute Straße des 17. Juni) 1878-84 nach Entwürfen der Architekten Richard Lucae, Friedrich Hitzig und Julius Raschdorff erbaut; auf dem Vorplatz links das Denkmal für Krupp (1899, von Ernst Herter), rechts das für Siemens (1899, von Wilhelm Wandschneider); das Gebäude im II. Weltkrieg schwer beschädigt, neuer Eingangsbau 1961-65 errichtet

**Schiller-Theater an der Ecke Bismarck-/Grolmanstraße, 1907.** Blick von Nordwesten die Grolmanstraße (heute Am Schillertheater) entlang auf das 1906 von Jacob Heilmann und Max Littmann errichtete Theater; nach Kriegszerstörung 1950/51 Neubau

**Kreuzung Berliner Straße/Hardenbergstraße, 1931.** Blick über die Kreuzung (heute Ernst-Reuter-Platz) nach Westen zum sogenannten Knie und in die Berliner Straße (heute Otto-Suhr-Allee) mit dem Turm des Charlottenburger Rathauses im Hintergrund; links an der Ecke Berliner/Bismarckstraße das »Grand-Hotel am Knie«

**Berliner Straße und Charlottenburger Rathaus, 1907.** Blick vom Wilhelmplatz (heute Richard-Wagner-Platz) die heutige Otto-Suhr-Allee entlang in östliche Richtung; auf der nördlichen Straßenseite des 1899-1905 von den Architekten Reinhardt & Süßenguth erbaute, nach Kriegsbeschädigung wiederhergestellte Rathaus mit 88 Meter hohem Mittelturm

**Alter Lützower Dorfplatz mit Lützower Kirche, 1907.** Im Vordergrund, am Westende der Grünanlage, von Albert Wolff 1873-75 geschaffenes Kriegerdenkmal für die Gefallenen von 1870/71; die Kirche 1848-50 nach Entwurf von Friedrich August Stüler erbaut, 1910/11 durch einen 1943 zerstörten Neubau ersetzt, 1961 neue Lietzow-Kirche errichtet

**Altes Charlottenburger Polizeipräsidium und Amtsgericht in der Kirchhofstraße, 1910.** Das Gebäude auf der rechten, östlichen Seite der heutigen Warburgzeile, nördlich von der Otto-Suhr-Allee abzweigend, von 1847 bis zum Anfang des 20. Jahrhunderts Sitz von Polizei und Gericht

**Kaiser-Friedrich-Straße am Charlottenburger Goethe-Park, 1907.** Blick die Straße entlang in südliche Richtung; links die Goethe-Arkade als Durchgang zum Goethe-Park, ein 1903 angelegter Gartenhof für die Wohnhausgruppe zwischen Kaiser-Friedrich- und Wilmersdorfer Straße; nach dem II. Weltkrieg stark verändert

**Lietzensee und Lietzenseepark, 1932.** Blick über den See in nördliche Richtung; im Vordergrund
am Südufer zum Dernburgplatz die 1912 von Erwin Barth geschaffene Brunnenkaskade; der
Lietzenseepark um den See 1912-20 von Stadtgartendirektor Barth angelegt

85

**Ehrenhofseite des Charlottenburger Schlosses, 1919.** Blick über den Luisenplatz von Süden; Schloß zwischen 1695 und 1790 erbaut, die 48 Meter hohe Kuppel über dem Zentralbau durch Eosander von Göthe 1712 vollendet; der Baukomplex im II. Weltkrieg schwer beschädigt, seit 1947 etappenweise wiederhergestellt; im Ehrenhof seit 1952 das Denkmal für den Großen Kurfürsten von Andreas Schlüter aufgestellt

**Parkseite des Charlottenburger Schlosses, 1919.** Der Park 1697 zunächst im französischen Stil angelegt, Anfang des 19. Jahrhunderts durch Peter Joseph Lenné zu einem Landschaftsgarten umgestaltet; links die 1906 aufgestellte Kaiser-Friedrich-Gedächtnis-Vase

**Haus des Rundfunks an der Masurenallee, 1932.** Gebäudeansicht von Westen; 1929-31 von Hans
Poelzig als erstes deutsches Funkhaus erbaut, seit 1958 Hauptsitz des Senders Freies Berlin

**Funkturm, 1927.** Blick von Nordwesten auf das Messegelände; hinter dem 138 Meter hohen Funkturm, 1924-26 von Heinrich Straumer errichtet, das »Haus der Funkindustrie«, ebenfalls von Straumer erbaut und vom Berliner Messeamt ab 1924 für Sonderausstellungen genutzt, 1935 abgebrannt

89

**Charlottenbrücke und Spandauer Altstadt, 1915.** Blick von der Brückenstraße in Richtung
Nordwesten über die Havel zur Altstadt mit dem Barockturm der Nikolaikirche im Hintergrund;
die Charlottenbrücke von 1886 1926-29 durch einen Neubau ersetzt

**Rathaus Spandau am Potsdamer Tor, 1914.** Blick von Westen in die Carl-Schurz-Straße; das Rathaus am Südende der Altstadt 1910-13 von den Architekten Reinhardt & Süßenguth errichtet, nach Kriegsbeschädigung bis 1957 wiederhergestellt

**Breite Straße in Schmargendorf, 1905.** Blick von Nordwesten in die Straße, die einst die Dorfaue von Schmargendorf war; der vorstädtische Charakter heute kaum noch erkennbar

**Rathaus Schmargendorf am Berkaer Platz, 1905.** Blick von Südwesten auf die zum Berkaer Platz
erweiterte Ecke Berkaer/Reichenhaller Straße; Rathaus 1900-02 von Otto Kerwien für den 1899
selbständig gewordenen Amtsbezirk errichtet, der 1920 in Groß-Berlin aufging

93

**Bahnhof Südende, 1905.** Blick in südliche Richtung; der Bahnhof der Dresdener Bahn 1881 eröffnet; rechts an der Bahnstraße das Ausflugslokal »Park-Restaurant« – das »Paresü«, als schönstes Gartenetablissement Berlins bezeichnet, wurde im II. Weltkrieg zerstört

**Wilmersdorfer Platz und Rheinstraße in Friedenau, 1913.** Blick von der Ecke Rhein-/Hedwigstraße
am Wilmersdorfer Platz (heute Breslauer Platz) in südwestliche Richtung nach Steglitz

**Paul-Gerhardt-Kirche und alte Dorfkirche an der Schöneberger Hauptstraße, 1912.** Blick in die Straße von Südosten; die evangelische Paul-Gerhardt-Kirche 1908-10 nach Entwurf von Friedrich Schulze zur Ergänzung der kleinen Dorfkirche (1764-66 nach Brand eines mittelalterlichen Vorgängerhauses errichtet) erbaut, im II. Weltkrieg zerstört, 1961/62 durch einen Neubau ersetzt

**Altes Rathaus am Schöneberger Kaiser-Wilhelm-Platz, 1905.** Blick von Nordosten über den Platz in die Hauptstraße; das Rathaus 1892 nach Entwurf von Friedrich Schulze errichtet (als Vorgänger des 1914 eingeweihten Rathauses am heutigen John-F.-Kennedy-Platz), im II. Weltkrieg zerstört

**Panorama des Stadtparks Schöneberg, 1913.** Blick von der Freiherr-vom-Stein-Straße im Nordwesten über den 1910-12 auf einem Areal von rund 7 Hektar angelegten heutigen Rudolph-Wilde-Park; die Untergrundbahn durchquert im Zuge der Innsbrucker Straße den Park mit einem von Emil Schaudt 1910 errichteten, imposanten Brückenbauwerk, das gleichzeitig als U-Bahnhof Rathaus Schöneberg dient; links im Hintergrund die Paul-Gerhardt-Kirche an der Hauptstraße und der 1908-10 an der Torgauer Straße errichtete Gasometer des Gaswerks Schöneberg; südlich des Parks Wohngebäude der heutigen Fritz-Elsas-Straße

**Stadtpark Steglitz, 1914.** 1906-14 nach Plänen von Gartendirektor Fritz Zahn als Landschaftspark
unter Einbeziehung alter Gutsgärten und Waldgelände angelegt; Wohnumbauung am Westteil vom
Anfang des 20. Jahrhundert

**Schloß Steglitz, 1907.** Das 1804 von David Gilly an der Schloßstraße 48 erbaute frühklassizistische Herrenhaus wurde nach 1858 von Generalfeldmarschall Wrangel bewohnt und erhielt deshalb die Bezeichnung »Wrangelschlößchen«; seit 1880 als Restaurant und Hotel genutzt, seit 1987 Restaurierung

**Albrechtstraße in Steglitz, 1905.** Blick von der Kreuzung Schützenstraße in nordwestlicher Richtung über die Stadtbahnbrücke zur Schloßstraße mit dem 1896/97 durch die Architektengemeinschaft Reinhardt & Süßenguth errichteten Rathaus

**Hafengelände Tempelhof, 1917.** Blick von Südwesten über das im Zusammenhang mit dem
Teltowkanalbau 1901-06 angelegte Hafenbecken zum großen Lagerhaus, 1906-08 durch den Kreis
Teltow errichtet

103

**Hermannplatz in Rixdorf, 1907.** Blick über den Hermannplatz in nordöstlicher Richtung; im
Hintergrund stoßen Kottbusser Damm und Kaiser-Friedrich-Straße (heute Sonnenallee) aufeinander;
an der Westseite des Platzes wurde ab 1927 das Karstadt-Warenhaus errichtet

**Karstadt-Warenhaus am Hermannplatz in Neukölln, 1931.** Blick von der Ecke Hermann-/Berliner Straße zur bereits im Bezirk Kreuzberg liegenden Westseite des Platzes mit dem Warenhaus Karstadt, 1927-29 von Philipp Schäfer erbaut, nach Kriegszerstörung 1951 wiedereröffnet; Rixdorf war 1921 in Neukölln umbenannt worden

**Kirchgasse in Böhmisch-Rixdorf, 1907.** Blick in südöstliche Richtung; an der linken Seite Scheunen der Kolonisten; im Hintergrund rechts der Betsaal der Evangelischen Brüdergemeine, Mitte des 18. Jahrhunderts für die unter Friedrich Wilhelm I. angesiedelten böhmischen Protestanten errichtet, im II. Weltkrieg zerstört

**Richardplatz in Deutsch-Rixdorf, 1907.** Blick von Osten in Richtung des Hohenzollernplatzes
(heute Karl-Marx-Platz); der Platz als einstige Dorfaue mit Häusern aus der 1. Hälfte des
19. Jahrhunderts lag nördlich von Böhmisch-Rixdorf

**Gneisenaustraße mit U-Bahnhof, 1926.** Blick in östliche Richtung zum Kaiser-Friedrich-Platz (heute Südstern) mit der zweiten evangelischen Garnisonkirche Berlins (1893-96 von Ernst August Roßbach erbaut); die Aufnahme erfolgte aus der Wohnung des Photographen Missmann im Eckhaus Gneisenau-/Zossener Straße

**Winterfeldtplatz mit St.-Matthias-Kirche, 1905.** Blick von der Nordwestecke
Winterfeldt-/Maaßenstraße zu der 1893-95 durch E. Seibertz erbauten katholischen Kirche;
der 290 x 80 Meter große Platz mit sieben Straßeneinmündungen

**Panorama des Wochenmarktes auf dem Winterfeldtplatz, 1907.** Auf der Platzfläche nördlich der Matthiaskirche fanden ab etwa 1890 Wochenmärkte statt, von denen es Anfang des 20. Jahrhunderts rund 100 in Berlin gab

**Oranienplatz, 1908.** Blick von der südöstlichen Straßenecke Dresdener/Oranienstraße über die
Oranienbrücke im Zuge der Oranienstraße; die Oranienbrücke über den nach 1848 als Verbindung
zwischen Landwehrkanal und Spree angelegten und ab 1926 zugeschütteten Luisenstädtischen Kanal
mit monumentalen Jugendstil-Laternenträgern 1904-06 nach Entwürfen von Bruno Schmitz errichtet;
im Hintergrund nach rechts abzweigend die Dresdener Straße

**Blücherplatz und Hallesches Tor, 1907.** Blick in nördliche Richtung zu der über den Landwehrkanal führenden Belle-Alliance-Brücke (heute Hallesche-Tor-Brücke); dahinter das Hallesche Tor (Torgebäude 1879 von Johann Heinrich Strack erbaut, im II. Weltkrieg zerstört) und zum Belle-Alliance-Platz (heute Mehringplatz) mit der Friedenssäule von 1843; links der 1902 von den Architekten Solfs & Wichards errichtete Hochbahnhof Hallesches Tor, nach Kriegsbeschädigung vereinfacht wiederhergestellt

113

**Moritzplatz, 1906.** Blick über den Platz von der nordöstlichen Ecke Oranien-/Prinzenstraße; links die spätere Wertheim-Ecke; im Hintergrund rechts in der Oranienstraße der Turm der Jakobikirche (1844/45 durch Friedrich August Stüler errichtet)

**Wertheim-Warenhaus am Moritzplatz, 1914.** Blick über den Platz in südöstliche Richtung; das 1913 von Eugen Schmohl an der Südostecke des Platzes Prinzen-/Prinzessinnenstraße erbaute Warenhaus im II. Weltkrieg zerstört

**Elisabethufer am Luisenstädtischen Kanal, 1906.** Blick den Luisenstädtischen Kanal entlang in südwestliche Richtung zum Luisensteg; im Hintergrund die Türme der Melanchthonkirche (1904-06 nach Plänen von Armin Kröger erbaut, im II. Weltkrieg zerstört); auf der rechten Kanalseite das Luisenufer

**Luisenstädtischer Kanal vor dem Engelbecken, 1905.** Blick von der Waldemarbrücke (die 1890/91 errichtete Eisenbrücke als einzige der Luisenkanal-Brücken noch erhalten) in nordöstliche Richtung, über die Königinbrücke zur katholischen St.-Michaels-Kirche (1851-56 nach Entwurf von August Soller erbaut, im II. Weltkrieg schwer beschädigt)

**Altes Gleisdreieck, 1905.** Blick von Norden über die nach Norden, Osten und Westen laufenden Gleise der Hoch- und Untergrundbahn; die komplizierte Streckenführung gab den Namen »Gleisdreieck«; neben der Wagenhalle im Gleisdreieck ein Zug in Richtung Bülowstraße; die Linie zur Kurfürstenstraße existiert noch nicht; rechts im Hintergrund die Lutherkirche (1891-94 durch August Otzen erbaut) am Dennewitzplatz

**Neues Gleisdreieck, 1927.** Blick aus nördlicher Richtung auf den 1912/13 bei der Umgestaltung des Gleisdreiecks errichteten zweigeschossigen Hochbahnhof; auf der unteren Ebene (Bildmitte) die Bahnsteighalle für die Züge in Richtung Potsdamer Platz (derzeit Endstation der Magnetbahn); die obere Bahnsteighalle für die Züge zwischen Warschauer Brücke und Innsbrucker Platz über Kurfürstenstraße

**Bahnverkehr am Gleisdreieck über den Landwehrkanal, 1905.** Blick von der Möckernbrücke in westliche Richtung; auf der unteren Brücke Eisenbahnverkehr in Richtung Anhalter Bahnhof, auf der oberen der Hochbahnverkehr in Richtung Wittenbergplatz über Bülowstraße; rechts das Hallesche, links das Tempelhofer Ufer

**Landwehrkanal zwischen Großbeerenbrücke und Hochbahnhof Möckernbrücke, 1905.**
Blick aus östlicher Richtung zum 1898-1901 nach Entwürfen des Konstruktionsbüros der Firma
Siemens & Halske erbauten Bahnhof, 1936/37 durch Neubau ersetzt, 1965 Erweiterung zum
Umsteigebahnhof; im Hintergrund die Schornsteine der Kraftstation der Hochbahngesellschaft

**Blick von der Jannowitzbrücke zum alten Stadtzentrum, 1906.** Spreeabwärts im Nordwesten (links im Bild) die Türme von Rathaus, Waisenhauskirche und Parochialkirche; rechts die Stadtbahnstrecke in Richtung Alexanderplatz; an der Jannowitzbrücke (1822 Holzbrücke, Neubauten 1881-83, 1927-34 und 1952-59) für die Berliner Ausflugsschiffahrt seit Ende des 19. Jahrhunderts ein Haupthafen

**Oberbaumbrücke über die Spree, 1924.** Blick vom Gröbenufer nach Nordosten zur 1894-96 nach
Entwürfen von Otto Stahn errichteten Oberbaumbrücke; Wiederherstellung in den 90er Jahren
vorgesehen; spreeaufwärts am rechten Ufer der Getreidespeicher des 1907-13 angelegten Osthafens;
links die Station Stralauer Tor der Hochbahn (1902 erbaut, im II. Weltkrieg zerstört)

124

**Palisadenstraße mit St.-Pius-Kirche, 1904.** Blick von Südwesten auf die katholische Kirche in der Palisadenstraße 72; 1893/94 durch Max Hasak erbaut, nach Kriegsbeschädigung Turm vereinfacht wiederhergestellt

**Städtischer Zentral-Vieh- und Schlachthof, 1907.** Blick aus nordwestlicher Richtung über das
Gelände des 1878-81 nach Plänen von Stadtbaurat Hermann Blankenstein angelegten Viehhofes; links
die Landsberger Allee (derzeit Leninallee), rechts die Hausburgstraße; die Gebäude des Viehhofes im
II. Weltkrieg teilweise zerstört

**Rosenthaler Platz, 1905.** Blick von Süden aus der Rosenthaler Straße in die Brunnenstraße (links) und den Weinbergsweg (rechts) mit der Turmspitze der Zionskirche von 1873; im Vordergrund nach links die Elsässer, nach rechts die Lothringer Straße (beide seit 1951 Wilhelm-Pieck-Straße) abzweigend

**Senefelderplatz, 1907.** Blick über den Platz in die Schönhauser Allee (links) und die Weißenburger Straße (rechts, heute Kollwitzstraße); auf der Ecke das 1892 für Alois Senefelder, den Erfinder der Lithographie, aufgestellte Denkmal von Leon Pohle

127

**Borsigsteg über die Spree in Moabit, 1910.** Blick in südliche Richtung zur Hansabrücke; rechts das Bundesratsufer, links das Schleswiger Ufer mit einem von Ludwig Hoffmann entworfenen, 1902 eingeweihten Realschulgebäude mit Neorenaissancefassade; im Hintergrund rechts der Turm der Kaiser-Friedrich-Gedächtnis-Kirche von 1895; der Borsigsteg im II. Weltkrieg zerstört

**Panorama des Humboldthafens, 1903.** Blick vom Kronprinzenufer über die Spree in nördliche Richtung zum Friedrich-Karl-Ufer; von links nach rechts: in der Verlängerung der Moltkebrücke (1888-90) die Straße Alt-Moabit, der Kuppelbau des Deutschen Kolonial-Museums (nach dem I. Weltkrieg Ausstellungspark, im II. Weltkrieg zerstört), im Hintergrund die Türme des Zellengefängnisses der Strafanstalt Moabit, der Lehrter Fernbahnhof (1869-71 erbaut, nach Kriegszerstörung abgerissen), im Hintergrund der Lehrter Stadtbahnhof (1882 eröffnet), das Verwaltungsgebäude der Berlin-Hamburger Eisenbahngesellschaft, der Hamburger Bahnhof (1845-47 erbaut, seit 1906 Verkehrs- und Baumuseum), die Invalidensäule von 1854 (1948 abgerissen), die Gnadenkirche (1891-95 erbaut, Ruine 1967 gesprengt), Charité-Gebäude aus dem 19. Jahrhundert und im Vordergrund die Alsenbrücke (1925 abgerissen)

**Neues Kriminalgericht in der Moabiter Turmstraße, 1906.** Blick aus der Rathenower Straße
in Richtung Westen auf den Erweiterungsbau des Kriminal-Justizamtes, 1906 nach Plänen der
Architekten Fasquel, Thoemer und Mönnich vollendet

**Putlitzbrücke, 1913.** Blick in nordöstliche Richtung über die Gleisanlagen des Moabiter Güterbahnhofs; die mit 880 Meter längste Brücke der Stadt kostete 1,8 Millionen Mark; in der Mitte im Hintergrund der Stadtbahnhof Putzlitzstraße und eine von damals sieben Zentralen der Berliner Elektrizitätswerke

**Dankeskirche am Weddingplatz, 1905.** Blick von Südosten zur 1882-84 durch August Orth erbauten
evangelischen Kirche; im II. Weltkrieg zerstört, 1970-72 durch Neubau ersetzt; rechts die Reinicken-
dorfer Straße, links die Müllerstraße

**Badstraße und Bahnhof Gesundbrunnen, 1906.** Blick aus südlicher Richtung, aus der Brunnen-
in die Badstraße; im Vordergrund das Empfangsgebäude des 1895-97 errichteten Bahnhofs für den
Ringbahnverkehr, im Hintergrund das für den Fern- und Vorortverkehr

**Swinemünder Brücke, 1906.** Blick in nördliche Richtung über die Gleise der Ring-, Stettiner, Nord-
sowie Kremmen-Wittstocker Bahn östlich des Bahnhofes Gesundbrunnen; die 225 Meter lange Brücke,
wegen ihrer hohen Kosten »Millionenbrücke« genannt, 1901-05 durch Friedrich Krause und Bruno
Möhring erbaut, nach Kriegsbeschädigung 1954 vereinfacht wiederhergestellt

**Humboldtdenkmal im Humboldthain, 1908.** Das nahe der Brunnenstraße 1869 aus märkischen Findlingsblöcken für Alexander von Humboldt errichtete Monument im II. Weltkrieg zerstört, 1952 durch neuen Gedenkstein ersetzt; der 35 Hektar große Volkspark 1869-76 durch Gartendirektor Gustav Meyer angelegt, ab 1948 neugestaltet

**Breite Straße in Pankow mit Rathaus, 1910.**
Blick aus nordöstlicher Richtung die heutige
Johannes-R.-Becher-Straße entlang zum 1901
bis 1903 nach Entwurf von Wilhelm Johow
errichteten und 1927/29 Rathaus mit 50 Meter
hohem Eckturm

135

**Kietz in Köpenick, um 1910.** Der südöstlich der Köpenicker Altstadt gelegene Kietz ein Fischerdorf am Ostufer der Dahme; verschiedene Wohnhäuser der Kietzer Straße aus dem 18./19. Jahrhundert noch erhalten

**Dorfaue Müggelheim mit Dorfkirche, 1919.** Blick von Nordwesten zum Ortskern Alt-Müggelheim
mit der 1803/04 errichteten Kirche; das dörfliche Erscheinungsbild heute noch erkennbar

138

**Jagdschloß Grunewald, 1903.** Blick von Westen auf die Schloßanlage, im Kern 1542 für Kurfürst Joachim II. durch Caspar Theiß erbaut; einziger erhaltener Renaissancebau des 16. Jahrhunderts in Berlin, seit den 20er Jahren als Schloßmuseum zugänglich

**Gutshaus Rudow an der Prierosser Straße 48, 1907.** Das einstige Jagdschloß Kurfürst Friedrichs III.,
um 1680 errichtet, wurde später mehrfach umgebaut, zuletzt im 19. Jahrhundert

**Dorfkirche Marienfelde, 1905.** Auf dem Dorfanger von Alt-Marienfelde die älteste erhaltene
Dorfkirche Berlins, um 1220 als Ordenskirche der Templer errichtet

**Dorfkirche Zehlendorf, 1907.** Der achteckige Bau an der Potsdamer Straße im Ortskern von Zehlendorf 1768 von Friedrich dem Großen anstelle einer zerstörten mittelalterlichen Kirche gestiftet; Eisentor zum Kirchhof von 1826

**Große Spielwiese im Treptower Park, 1907.** Der dritte städtische Volkspark ab 1876 nach Plänen von
Gustav Meyer angelegt; an der Stelle der großen Spielwiese wurde 1947-49 das Sowjetische Ehrenmal
Treptow erbaut

**Familienabteilung des Freibades Wannsee, 1907.** Das 1907 eröffnete Strandbad am Ostufer des
Großen Wannsees – mit Herren-, Damen- und Familienbad – wurde 1930 zum größten Binnenseebad
Europas ausgebaut; im Hintergrund der Kaiser-Wilhelm-Turm im Grunewald

**Zeppelinlandung auf dem Schießplatz Tegel, 1909.** Landung des Grafen Zeppelin mit dem Luftschiff
Z 3 auf dem 1870 angelegten Schießplatz, der 1948 zu einem Flughafen ausgebaut wurde, dem
1970-75 der Großflughafen Tegel folgte

**Rennbahn Karlshorst, 1913.** Die Bahn des Berliner Vereins für Hindernisrennen 1893 auf einer
Fläche von fast 80 Hektar, nach Plänen von R. Jürgens und J. Lange angelegt; heute als Trabrennbahn
genutzt

**Panorama des Langen Sees bei Grünau mit Kaiser-Regatta, 1914.** Der alljährlich im Juni
stattfindenden Grünauer Regatta, an der sich alle im Berliner Regatta-Verein zusammengeschlossenen
Ruderklubs beteiligten, wohnte der Kaiser bei – daher der Name; auf der Photographie die letzte
Kaiser-Regatta mit Berliner Ausflugsdampfern am Kurs

**Stubenrauchbrücke über die Spree, 1908.** Blick von Nordwesten auf die 1907/08 anstelle einer Holzbrücke von 1891 neuerbaute Brücke; im Hintergrund spreeaufwärts die 1903/04 errichtete Treskowbrücke; beide Brücken als Verbindung der Gemeinden Nieder- und Oberschöneweide nach Kriegszerstörung neuerbaut

**Alte Schmöckwitzer Zugbrücke, 1903.** Am Zusammenfluß von Langem See, Seddinsee und
Zeuthener See wurde 1907 die wohl vom Anfang des 19. Jahrhunderts stammende Holzklappbrücke
durch eine Stahlbrücke ersetzt, nach Kriegszerstörung 1960-63 wiederum Brückenneubau;
südöstlichster Teil des Stadtgebietes von Groß-Berlin

149

**Bismarckwarte in den Müggelbergen, 1907.** 1902-04 nach Entwurf von Otto Rietz auf dem Großen Müggelberg als 44 Meter hoher Gedenk- und Aussichtsturm errichtet, 1945 von der SS gesprengt

**Havelpartie bei Gatow, 1904.** Blick von Gatow über die Havel zum 55 Meter hohen Kaiser-Wilhelm-Turm (Grunewaldturm), 1897/98 nach Entwurf von Franz Schwechten durch den Kreis Teltow auf dem 79 Meter hohen Karlsberg erbaut